Imprimé et relié par AGM
22.45.4175.01/0 - ISBN : 2.01.224175.1
Dépôt légal n° 9066 - Février 2001
Loi n° 49-956 du 16 juillet 1949 sur les publications destinées à la jeunesse

UN BONHOMME,
un jour

Roger Hargreaves

UN BONHOMME, un jour

1 histoire pour chaque jour de la semaine

HACHETTE Jeunesse

lundi

Le grand rêve de Monsieur PETIT

Tu entends ces joyeux flonflons ?

Ils viennent de la fête foraine !

Par ce bel après-midi de printemps, monsieur Petit, madame Dodue, monsieur Maigre et monsieur Rapide se réjouissent : ils se rendent à la fête foraine.

– Si vous voulez voir un numéro extraordinaire, suivez-moi, mes amis ! lance monsieur Petit. Un dompteur qui affronte un animal bien vivant sur une scène, c'est formidable, n'est-ce pas ? Mais ? Où allez-vous ? Ce n'est pas par ici ! C'est par là qu'il faut aller !

Les amis de Monsieur Petit préféraient aller faire
un tour sur les autotamponneuses.

– Poussez-vous, monsieur Petit ! C'est pour les grands,
pas pour les petits ! Ha, ha, ha, ha !
s'écrie monsieur Rapide.

Monsieur Petit est si petit !

Les autotamponneuses, si grandes pour lui !

Si rapides ! Si bruyantes ! Si…

Pauvre monsieur Petit !

– Barbe à papa ! Qui veut de la barbe à papa ?

Aussitôt, tout le monde se presse autour du marchand et monsieur Petit essaye de se faufiler dans la foule.

– Une grosse barbe à papa pour moi ! commande madame Risette.

– Moi d'abord ! Je suis pressé ! coupe monsieur Rapide.

– Une barbe à papa avec deux bâtons pour mieux la tenir ! demande monsieur Maladroit.

– Monsieur, est-ce que je peux avoir une petite barbe à papa ? demande monsieur Petit de sa petite voix.

Hélas ! personne ne l'entend. Même pas le marchand.

Un peu plus loin, un homme harangue la foule.

– Approchez, mesdames et messieurs ! Qui veut défier l'homme le plus fort du monde ? Un véritable colosse ! Allons, allons, approchez !

– Qu'attendez-vous pour aller vous battre avec lui, monsieur Rapide ? demande madame Dodue avec un sourire narquois.

– Je suis beaucoup trop occupé ! Pourquoi n'enverrions-nous pas monsieur Petit ?

– Ha, ha, ha, ha !

Un immense éclat de rire salue la remarque de monsieur Rapide. Quant à monsieur Petit, il essaie de se faire encore plus petit.

Ouf !

Au grand soulagement de monsieur Petit, ses amis se dirigent vers le palais des glaces.

Monsieur Maigre s'amuse comme un fou en découvrant son embonpoint !

Quant à monsieur Petit…

Désormais, il n'est plus petit ! Et il se met à rêver que sa vie pourrait être différente s'il était toujours aussi grand…

– Les autotamponneuses, c'est pour les grands, monsieur Rapide ! pourrait-il dire en bousculant un petit bonhomme nommé monsieur Rapide.

– Je n'ai pas peur de ce gringalet ! pourrait-il dire aussi, en affrontant l'homme le plus fort du monde.

Mais la voix de madame Dodue le ramène bientôt à la réalité.

– Monsieur Petit, vous vouliez nous emmener voir un numéro de dressage, n'est-ce pas ?

– Oui, bien sûr… répond monsieur Petit. C'est si bon, de pouvoir rêver un peu… Quatre billets, s'il vous plaît !

– Désolé ! dit le responsable de l'attraction. Il n'y a pas de représentation aujourd'hui. Le dompteur est blessé !

– Je peux le remplacer ! assure monsieur Petit. Je connais bien son numéro, je l'ai déjà vu plusieurs fois.

Ran tan plan ! Ran tan plan !

Dans un roulement de tambour, voici monsieur Petit qui apparaît sur la scène.

Monsieur Petit, lui si petit, face à un animal féroce !

A ton avis, que lui arrive-t-il ? Penses-tu, comme madame Dodue, qu'il est tombé sur la tête ?

Et hop !

Et encore hop !

Une jolie petite grenouille verte !

Une jolie petite rainette !

Voilà l'animal que monsieur Petit affronte.

– Applaudissez monsieur Petit ! Bravo au plus grand dresseur de grenouilles du monde ! clame le responsable de l'attraction.

– Youpi ! Bravo ! crient les amis de monsieur Petit et tous les spectateurs réunis.

Monsieur Petit est ravi. Il a toujours rêvé de devenir dompteur. Il a enfin trouvé un animal à sa taille.

Aux dernières nouvelles, il paraît que monsieur Petit…

… a monté un numéro de puces savantes !

Et qu'il envisage de dresser des fourmis.

Et des animaux encore plus petits…

Mais ça, c'est une autre histoire !

Bonne nuit

L'incroyable secret de Monsieur ÉTONNANT

Monsieur Étonnant habitait une drôle de maison. Regarde-la. Tu n'en as jamais vu de semblable, n'est-ce pas ?

C'est que monsieur Étonnant est un drôle de bonhomme. Alors, rien d'étonnant à ce qu'il n'ait pas une maison comme tout le monde !

Ce jour-là, monsieur Étonnant décida de profiter de la belle journée qui s'annonçait pour aller faire une promenade.

Mais, en arrivant à l'arrêt du bus, il passa son chemin. Tu crois peut-être qu'il avait envie de se promener à pied.

Mais non, pas du tout !

Monsieur Étonnant avait décidé d'attendre le bus
un peu plus loin, au pied d'un réverbère.

Sais-tu ce qui se passe, lorsqu'on attend le bus au pied
d'un réverbère ? Eh bien, il ne s'arrête pas.
Pas étonnant !

Et c'est ce qui arriva à monsieur Étonnant.

– Quand vous voulez prendre le bus, monsieur Étonnant, lui lança le chauffeur, attendez à l'arrêt, comme tout le monde !

Et il poursuivit sa route.

Faire comme tout le monde, voilà justement ce dont monsieur Étonnant avait horreur.

Mais tous ces problèmes de transport lui avaient donné une idée...

Madame Catastrophe passait par là quand
elle entendit un drôle de bruit dans la cabane à outils
de monsieur Étonnant.

– Bonjour ! Je peux vous aider ? demanda-t-elle
en poussant la porte.

– Si vous y tenez...

Pauvre madame Catastrophe ! Elle ressortit de là couverte de cambouis et de taches d'huile.

– Quelle horreur ! s'écria-t-elle.

Qu'est-ce que monsieur Étonnant était donc en train d'inventer ?

Mystère...

Monsieur Étonnant était tellement absorbé par sa tâche qu'il n'entendit pas arriver monsieur Curieux.

Or monsieur Curieux avait la fâcheuse habitude de fourrer son nez partout.

Ce jour-là, monsieur Étonnant le mit à la porte si brutalement que... Aïe ! Ouille ! Le nez de monsieur Curieux resta coincé dans la porte !

– Je vais vous confier un secret, lui dit monsieur Étonnant, qui regrettait sa brutalité.

– Alors là, c'est absolument épatant ! s'exclama monsieur Curieux lorsqu'il eut pris connaissance du secret.

Et toi, tu brûles d'envie de le connaître aussi, n'est-ce pas ?

Eh bien, monsieur Étonnant s'était fabriqué une voiture.

Mais pas une voiture comme les autres !

Une voiture en forme de baignoire et haut perchée,
ce qui lui permettait de voir loin devant.

– Une voiture dans laquelle on peut prendre son bain. Ça, c'est étonnant ! s'écria monsieur Rigolo en riant aux éclats.

Du haut de sa drôle de voiture, monsieur Étonnant n'eut aucun mal à trouver une place de parking.

Une fois garée, sa voiture se baissa pour le laisser descendre et se couvrit du rideau de douche.

Pendant que monsieur Étonnant faisait ses courses,
la neige se mit à tomber.

En quelques instants, toute la ville fut recouverte
d'un épais manteau blanc.

Toutes les voitures étaient ensevelies sous la neige,
y compris celle de monsieur Étonnant.
Seulement, celle-ci avait quelque chose de spécial.
Tu as deviné quoi, n'est-ce pas ?

Grâce à son ingénieux véhicule qui en remontant était beaucoup plus haut que les autres, seul monsieur Étonnant put rentrer chez lui en voiture.

En chemin, il rencontra ses amis qui attendaient le bus, en vain, transis de froid, car la neige commençait à les ensevelir eux aussi.

– Bonjour ! Voulez-vous que je vous dépose quelque part ? leur proposa-t-il.

– Bravo, monsieur Étonnant ! Grâce à vous, nous sommes sauvés ! s'exclama madame Tête-en-l'Air, ravie de ce petit voyage dans les airs.

– C'est drôlement plus rigolo que de prendre l'autobus ! dit monsieur Rigolo. Et il se mit à chanter à tue-tête : Vive le vent ! Vive le vent, vive le vent d'hiver !

– Pour monsieur Étonnant : Hip, hip, hip, hourra ! firent tous les amis de monsieur Étonnant.

Le lendemain, tous les journaux faisaient l'éloge
de l'invention de monsieur Étonnant.

Extraordinaire ! Révolutionnaire ! Épatant !
Sans précédent ! Étonnant ! Ces titres s'étalaient
en première page.

Selon toi, qui fut le plus étonné, en lisant son journal ?

Monsieur Étonnant, bien sûr !

Bonne nuit

mercredi

L'ami de Madame CHANCE

Ce dimanche, madame Chance a invité des amis chez elle.

Tiens, les voilà justement qui arrivent !

A ton avis, madame Chance les a-t-elle invités à déjeuner, ou bien à prendre une tasse de thé, ou encore à se reposer dans son joli jardin ?

Pas du tout !

Si madame Chance a invité madame Autoritaire, monsieur Malpoli et monsieur Grognon, c'est pour jouer à un jeu de société.

Madame Chance sait qu'elle a toujours une chance extraordinaire au jeu, aussi ne veut-elle pas laisser passer sa chance.

– J'ai encore fait un ! râle monsieur Grognon après avoir lancé son dé.

– Moi aussi ! s'écrie madame Autoritaire. Et c'est la cinquième fois que ça m'arrive !

– Un ! Encore un ! Votre jeu est complètement débile ! déclare monsieur Malpoli.

Regarde bien, madame Chance va lancer son dé !

Six !

Bien entendu, tu as deviné qui a gagné la partie !

Très déçus, les amis de madame Chance décident d'aller tenter leur chance au jeu de quilles.

– C'est madame Chance qui commence, déclare monsieur Malpoli. Elle sera éliminée la première.

Madame Chance s'apprête à lancer sa boule quand...
passe le plus joli papillon qu'elle ait jamais vu
dans son jardin !

Un papillon aux couleurs pimpantes.

Madame Chance regarde le beau papillon
et ne regarde plus les quilles.

Vlan ! La boule est partie !

Boum !

La boule de madame Chance percute un arbre,
rebondit et frappe toutes les quilles qui tombent
l'une après l'autre.

Personne ne pourra faire mieux !

Mauvais joueurs, les amis de madame Chance
abandonnent la partie et rentrent chez eux
après avoir décrété que les quilles sont un jeu ridicule.

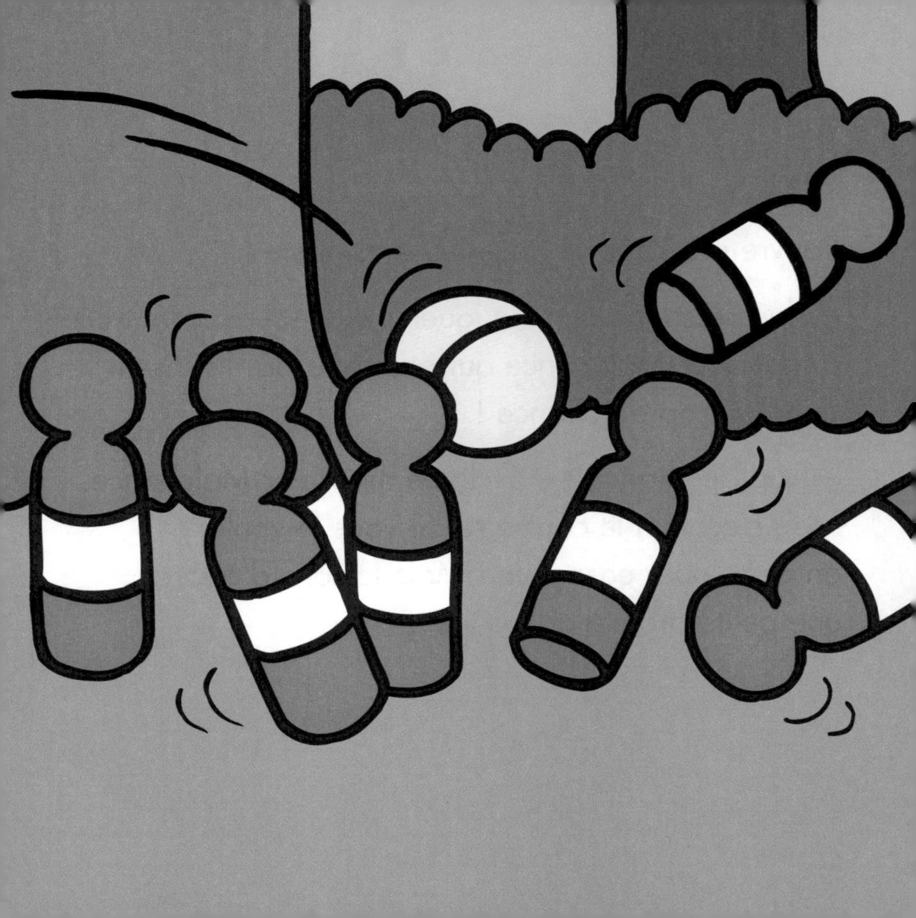

Pauvre madame Chance ! Elle est triste !

– Plus personne ne veut jouer avec moi ! confie-t-elle à monsieur Malchance qui passe par là. Ils disent que j'ai trop de chance !

– Trop de chance ? s'exclame monsieur Malchance. Moi, c'est tout le contraire. Si vous le voulez, on peut jouer ensemble ! Mais faisons d'abord une petite promenade.

Hélas ! La rue est pleine d'embûches.

On y trouve des panneaux publicitaires…

Pas de chance, monsieur Malchance !

On y trouve aussi des bouches d'égout béantes...

Décidément, monsieur Malchance n'a vraiment pas de chance !

C'est aussi ton avis, n'est-ce pas ?

– Comment peut-on être aussi malchanceux ? s'écrie madame Chance, émue par tant de déboires. C'est incroyable ! Vous n'avez rien de cassé, au moins ?

– Non, répond monsieur Malchance. Enfin pas plus que d'habitude ! Bon, si on allait jouer aux quilles !

Monsieur Malchance saisit sa boule, prend de l'élan, pivote sur lui-même, et…

Vlan!

La boule part, file à une allure folle, traverse la pelouse à une allure encore plus folle, rebondit sur un tronc d'arbre…

... puis sur le crâne de monsieur Malchance qui tombe au beau milieu des quilles dont il s'était approché.

Patatras ! Les quilles dégringolent toutes ensemble.

– Très joli coup ! s'écrie madame Chance.
Toutes mes félicitations, monsieur Malchance !

Madame Chance est ravie, elle a enfin trouvé un ami pour jouer avec elle !

– Bravo, monsieur Malchance ! Décidément, je vous porte chance ! s'écrie madame Chance, car monsieur Malchance venait de faire un six avec son dé.

Madame Chance a vraiment eu de la chance…

... de rencontrer monsieur Malchance !

A moins que ce ne soit le contraire...

Bonne nuit

jeudi

Monsieur BRUIT musicien

Ce matin-là, une camionnette traversa la petite ville de Solville et se dirigea vers la maison de monsieur Bruit.

C'était la voiture de monsieur Musico, le marchand d'instruments de musique.

Que transportait-il ?

Des instruments de musique, bien entendu !

Oui, mais lesquels ?

Toi qui connais si bien monsieur Bruit,
as-tu une petite idée ?

– Quel bonheur ! s'écria monsieur Bruit en voyant
la voiture approcher. Voilà mon instrument de musique !
J'adore le bruit depuis ma plus tendre enfance.
Dans mon berceau, je criais déjà si fort que les voisins
se bouchaient les oreilles.
Maintenant, je vais jouer de la musique et ils seront
tellement contents qu'ils m'enverront des fleurs.

Monsieur Bruit s'empressa d'aider monsieur Musico à décharger sa camionnette.

– Au revoir et merci, monsieur Musico !

Poum ! Patapoum ! Poum Poum !

Quel était donc le mystérieux instrument de musique qui faisait trembler la maison de monsieur Bruit, des fondations jusqu'au plafond ?

Et…

… obligea madame Vedette à fermer ses fenêtres pour ne plus entendre l'affreux tintamarre ?

L'instrument qui…

… provoqua la grogne de monsieur Grognon ?

Eh bien, monsieur Bruit s'était offert une magnifique batterie ! Et pour les voisins, c'était un enfer.

Irrité par le vacarme, monsieur Malpoli alla trouver monsieur Bruit.

– Dites donc, hurla-t-il, allez-vous bientôt cesser de nous casser les oreilles ? Votre horrible boucan commence à nous fatiguer !

– Boucan ? répéta monsieur Bruit, tout surpris.
Ma musique, du boucan ? Moi qui croyais vous faire plaisir !

Monsieur Bruit était confus.

Pour rien au monde il n'aurait voulu importuner ses voisins.

Il demanda donc aussitôt à monsieur Musico de venir échanger la batterie contre un instrument moins bruyant.

Vlam ! Vlam ! Vlam !

La maison de monsieur Bruit ne fut guère plus calme pour autant.

As-tu trouvé quel était le nouvel instrument de monsieur Bruit ?

Avec cet instrument, monsieur Bruit faisait toujours beaucoup de bruit !

Désormais, madame Beauté ne pouvait trouver le sommeil et, à force de ne pas dormir, elle commençait à avoir le teint brouillé.

Aussi décida-t-elle de se rendre chez monsieur Bruit dès le matin.

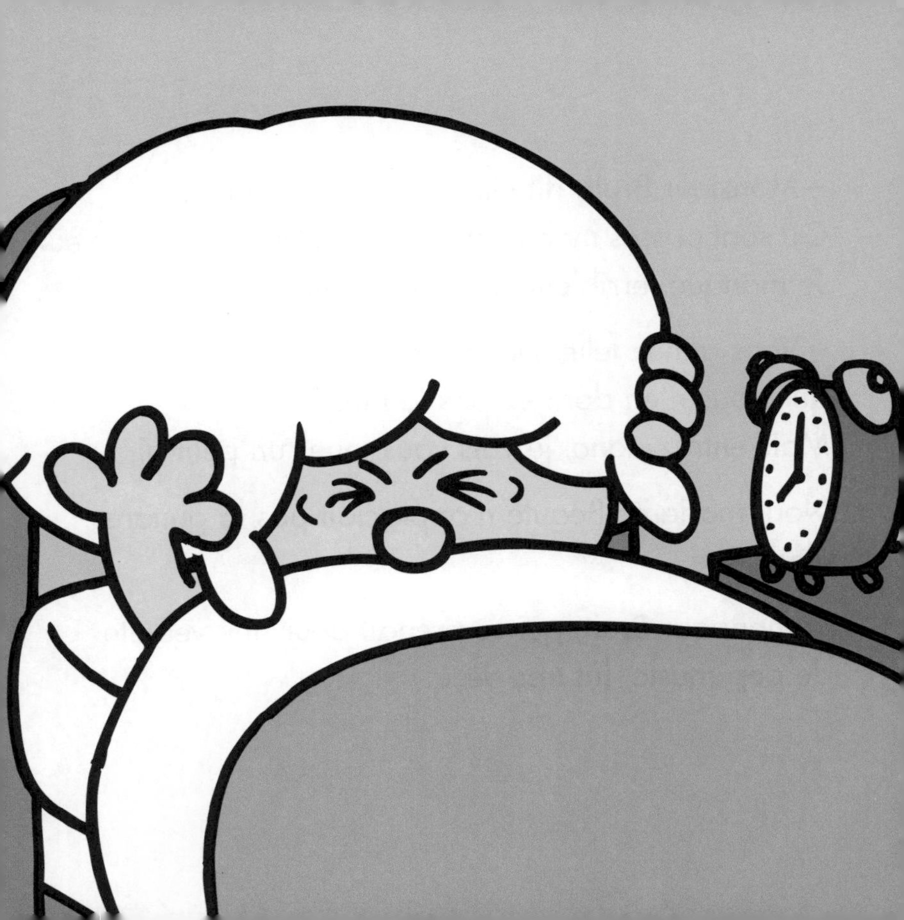

– Monsieur Bruit, dit-elle, regardez-moi bien !
Où sont passés mon teint de rose et l'éclat de mes yeux ?
Je manque terriblement de sommeil !

– Vous aimez tellement ma musique
que vous n'en dormez pas la nuit ?
Mais entrez donc, je vais vous jouer un petit air !

Non, madame Beauté n'appréciait pas la guitare électrique.

Et monsieur Bruit, qui se prenait pour une vedette de pop-music, fut très déçu.

Sur le chemin du retour, madame Beauté rencontra monsieur Malin.

– Mes oreilles vont exploser, se plaignit-elle. Mon teint est fané et j'ai les yeux cernés ! Tout ça, à cause du bruit de monsieur Bruit. C'est épouvantable !

Et monsieur Malin eut une idée…

… que monsieur Bruit trouva excellente.

Le lendemain était jour de fête.

Non seulement l'épouvantable vacarme avait cessé, mais un orchestre jouait une merveilleuse musique sous la conduite de nouveau maestro, monsieur Bruit, et... de sa silencieuse baguette.

Décidément, l'histoire de monsieur Bruit...

… a vraiment fait beaucoup de bruit !

Bonne nuit

vendredi

Madame DODUE, la plus belle pour aller danser

Dans le salon de madame Sage régnait une grande effervescence. Madame Dodue essayait sa robe de bal.

– Voyons, faites un petit effort, madame Dodue !
Si vous ne rentrez pas votre ventre, je n’arriverai jamais à fermer votre robe !

– C’est impossible ! J’ai beaucoup trop grossi, ces derniers temps.

Il n'y a qu'une solution : il faut que vous consultiez un médecin. Lui seul peut vous prescrire un régime, dit madame Sage.

Et c'est ainsi que madame Dodue se retrouva dans le cabinet du médecin qui lui demanda :

– Dites-moi ce que vous avez mangé pour votre petit déjeuner, madame Dodue.

– Seulement une douzaine d'œufs au bacon, un kilo de flocons d'avoine, dix tartines de beurre agrémentées d'une bonne couche de confiture et...

– Ah, je vois ! coupa le médecin. Et je n'ose vous demander en quoi consistait votre déjeuner !

– Eh bien, j'ai mangé...

– Parfait ! Parfait ! Nous allons voir combien vous pesez.

Voilà ce qui arriva dès que madame Dodue
monta sur la balance.

– Je vais vous prescrire un régime, déclara le médecin.

– Un régime ? Enfin, si c'est le seul moyen, je veux bien essayer, dit madame Dodue. J'espère qu'il ne sera pas trop sévère !

– Tout d'abord, deux heures de gymnastique quotidienne avec madame Acrobate. Montée de l'échelle qui conduit à la piscine, plongeon, traversée du bassin, et on recommence cinq fois ! Vu ?

– Vu ! se contenta de répéter madame Dodue dans un souffle.

– Ensuite, repas à prendre obligatoirement avec monsieur Maigre. Un spaghetti par repas, et pas un de plus !

Madame Dodue appliqua les recommandations de son médecin à la lettre.

Après avoir terminé son repas frugal avec monsieur Maigre, elle faisait une petite course digestive quand survinrent monsieur Farceur et madame Chipie, toujours à l'affût d'un bon tour à jouer à quelqu'un.

– Mais c'est madame Dodue ! s'exclama madame Chipie.

– Il paraît qu'elle suit un régime ! lui confia son compagnon.

– Un régime ? Pour l'aider à perdre du poids, j'ai une idée !

Qu'est-ce que madame Chipie allait donc inventer ?

– Une petite mûre par-ci, une autre par-là !
Humm ! Un vrai délice !

Eh oui !

En passant devant un buisson de mûres, madame Dodue avait tout simplement craqué !

– Nous allons faire peur à madame Dodue !
dit madame Chipie à son ami. Elle aura une telle trouille qu'elle ne pensera plus à se gaver de mûres !

– Génial ! Elle courra tellement vite qu'elle perdra au moins cinq kilos ! Approchez, je vais vous dire ce que nous allons faire !

Et voilà ce que cela donna !

– Au secours ! Un ogre ! hurla madame Dodue en se précipitant chez madame Sage, le cœur battant à tout rompre. Un monstre assoiffé de sang !

– Un monstre ? répéta madame Sage avec un sourire. Il n'y a plus de monstres dans la contrée depuis longtemps !

– Puisque je vous le dis ! insista madame Dodue. Il était là, prêt à me saisir avec ses crocs pointus !

En imaginant la scène, madame Sage eut du mal à se retenir de rire.

Tu aurais fait de même, n'est-ce pas ?

– Madame Dodue, cette fois, vous avez vraiment maigri, dit madame Sage après avoir invité son amie à monter sur le pèse-personne. Passez donc votre robe de bal. Vous serez certainement la plus belle pour aller danser !

Les mauvaises langues racontent que madame Dodue ne résista pas aux petits fours qui agrémentaient le buffet, et que...

... un, deux, trois !

Pendant qu'elle dansait au rythme d'une valse,
trois des boutons de sa robe sautèrent tour à tour !

Mais les mauvaises langues racontent n'importe quoi,
c'est bien connu !

Bonne nuit

samedi

Bienvenue chez Madame CONTRAIRE

Madame Sage se faisait une joie d'aller passer le week-end chez madame Contraire, à Bizarrance.

En arrivant devant sa maison, elle resta muette de surprise.

Cela n'a rien de surprenant, n'est-ce pas ?

– Au revoir, madame Effrontée ! s'exclama madame Contraire en ouvrant la porte.

– Mais... je ne suis pas madame Effrontée, je suis madame Sage.

– Si vous voulez bien sortir, nous allons prendre un rafraîchissement au salon ! poursuivit madame Contraire en entraînant son invitée dans la maison.

Regarde bien le salon de madame Contraire.
Le cadre est accroché à l'envers.

Et que sert madame Contraire à son amie, en guise de rafraîchissement ?

Des pastilles à la menthe !

Un peu plus tard, madame Contraire proposa
à son invitée une petite promenade dans le jardin.
Madame Sage se demandait si elle ne rêvait pas :
dans ce jardin, les arbres poussaient à l'envers,
l'herbe était bleue...

Et, par cette belle journée d'été, madame Contraire
s'abritait sous un grand parapluie !

De charmants serpents habitaient dans un arbre...

... tandis que des oiseaux entraient et sortaient de leurs terriers à un rythme effréné !

Une petite averse s'abattit soudain sur cet étrange jardin : madame Contraire s'empressa de refermer son parapluie !
– Allons vite nous mettre à l'abri ! s'écria-t-elle. Je ne supporte pas le soleil !

Cette fois, madame Sage se demanda si son amie ne se moquait pas d'elle.

Et, lorsqu'elles eurent regagné la maison, madame
Sage jugea que la plaisanterie avait assez duré
et qu'il était plus raisonnable d'aller se coucher.

– Un instant ! dit madame Contraire. Il vous faut mettre votre chapeau au pied du sapin de Noël. Ainsi, le Père Noël vous apportera un cadeau.

Un sapin de Noël... Le Père Noël... En plein été ! Madame Sage se dit que, cette fois, madame Contraire se moquait bel et bien d'elle !

Quel étrange arbre de Noël, n'est-ce pas ?

Madame Contraire souhaita une bonne journée
à son invitée et gagna sa chambre à coucher.
Bientôt, elle dormit à poings fermés avec la sonnerie
du réveil en guise de berceuse.

En revanche, quelqu'un ne parvint pas à trouver le sommeil.

Devine qui ?

Madame Sage, bien entendu !

– C'est un véritable cauchemar ! gémissait-elle en se tournant et se retournant dans son lit. Je n'y comprends plus rien !

Et le lendemain matin...

– Bonsoir, madame Sage, s'écria madame Contraire d'une voix joyeuse. Vous avez une mine splendide, l'air de la campagne vous réussit !

– Je dois avoir une mine de papier mâché ! se dit madame Sage qui n'avait pas fermé l'œil de la nuit.

Elle n'était pas au bout de ses surprises...
Au pied de l'arbre de Noël, il n'y avait
que des emballages !

Où étaient donc passés les cadeaux ?

– C'est la coutume, à Bizarrance, expliqua madame
Contraire. Nous gardons les papiers cadeaux et...

... nous jetons les cadeaux à la poubelle !

Un peu plus tard, madame Sage prit congé
de son amie.

– Je vous remercie pour ce week-end inoubliable.
Au revoir et à très bientôt !

– J'espère bien que non ! dit madame Contraire.

Le lendemain, madame Sage lui envoya une petite lettre
de politesse.

Et la lettre disait...

« J'ai été très mal reçue chez vous, votre accueil était nul, et je n'ai jamais passé un week-end aussi raté. »

Et madame Contraire fut ravie !

Tu devines pourquoi, n'est-ce pas ?

Bonne nuit

dimanc

Mais où étiez-vous, Monsieur CURIEUX ?

Monsieur Curieux était assoupi dans son jardin quand...
– Voilà ce que j'appelle une bonne idée, monsieur Malin ! Je vais prévenir tous les autres !

– C'est d'accord, monsieur Costaud !

Il n'en fallut pas davantage pour réveiller monsieur Curieux.
– De quoi monsieur Malin et monsieur Costaud pouvaient-ils donc parler ? se demanda-t-il, piqué par la curiosité.

Tu aimerais le savoir, toi aussi ?
Serais-tu aussi curieux que monsieur Curieux ?

Vite, monsieur Curieux emboîta le pas à monsieur Costaud, essaya de ne pas se faire remarquer et tendit l'oreille…

– Madame En Retard, il faut que je vous parle d'une idée extraordinaire… dit monsieur Costaud.

– Vraiment fantastique ! s'exclama madame En Retard un instant plus tard. Je vais le dire à monsieur Joyeux !

Monsieur Curieux eut beau tendre les deux oreilles, il n'apprit rien de plus. Le mystère s'épaississait.

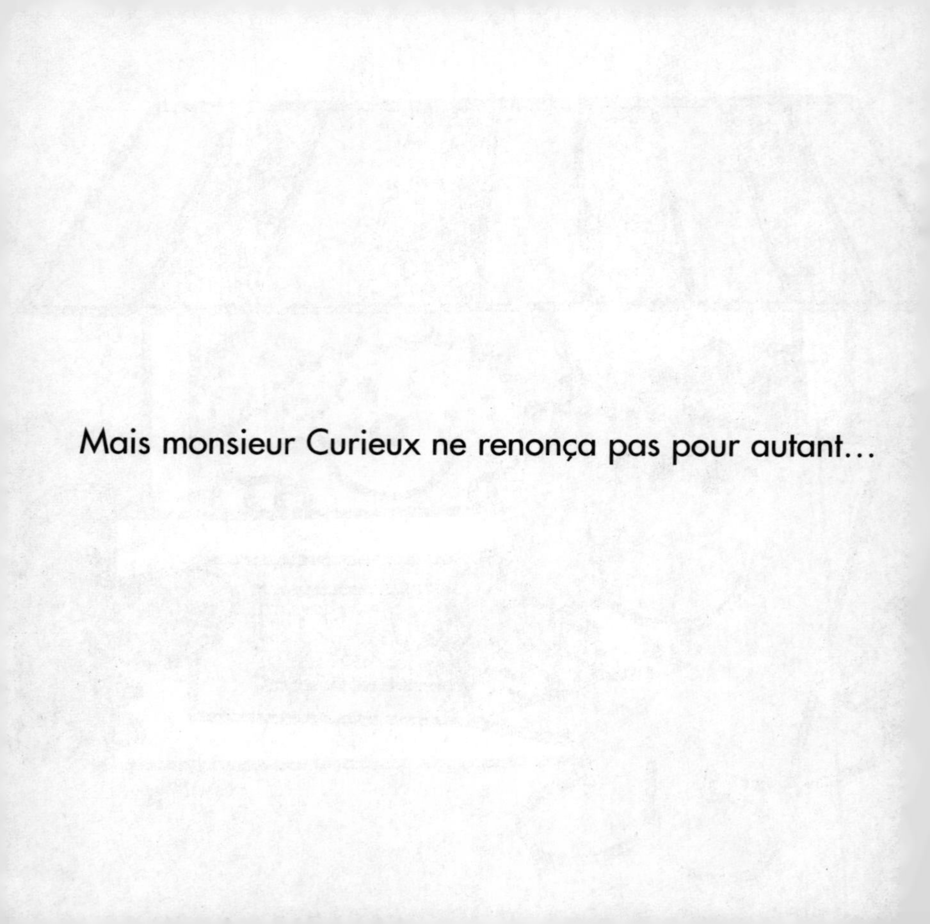

Mais monsieur Curieux ne renonça pas pour autant…

… Lui qui avait horreur de l'eau, il alla même jusqu'à suivre madame Beauté et monsieur Joyeux à la piscine.

– Voilà, je vous ai tout dit ! déclara monsieur Joyeux à son amie.

– Génial ! Quelle idée merveilleuse ! Je vais m'acheter un joli chapeau pour l'occasion !

Grrr ! Monsieur Curieux tentait vainement d'entendre de quoi ils parlaient. Mais…

Splash !

Un baigneur plongea près de monsieur Curieux
en soulevant des gerbes d'eau, et la voix
de madame Beauté se fit plus lointaine encore…
Impossible de comprendre le moindre mot !

Maintenant, monsieur Curieux était hors de lui.
De quoi parlaient ses amis ?
Plus il y pensait, et plus il s'énervait. Et plus il était
énervé, plus il voulait savoir ce qui se passait.

Monsieur Curieux allait-il renoncer ? Cesser de traquer ses amis pour savoir ce qui se passait ?

Bien sûr que non !

Et il finit enfin par trouver…

– Ils vont pêcher ! s'exclama-t-il. Vraiment, j'aurais dû y penser plus tôt.

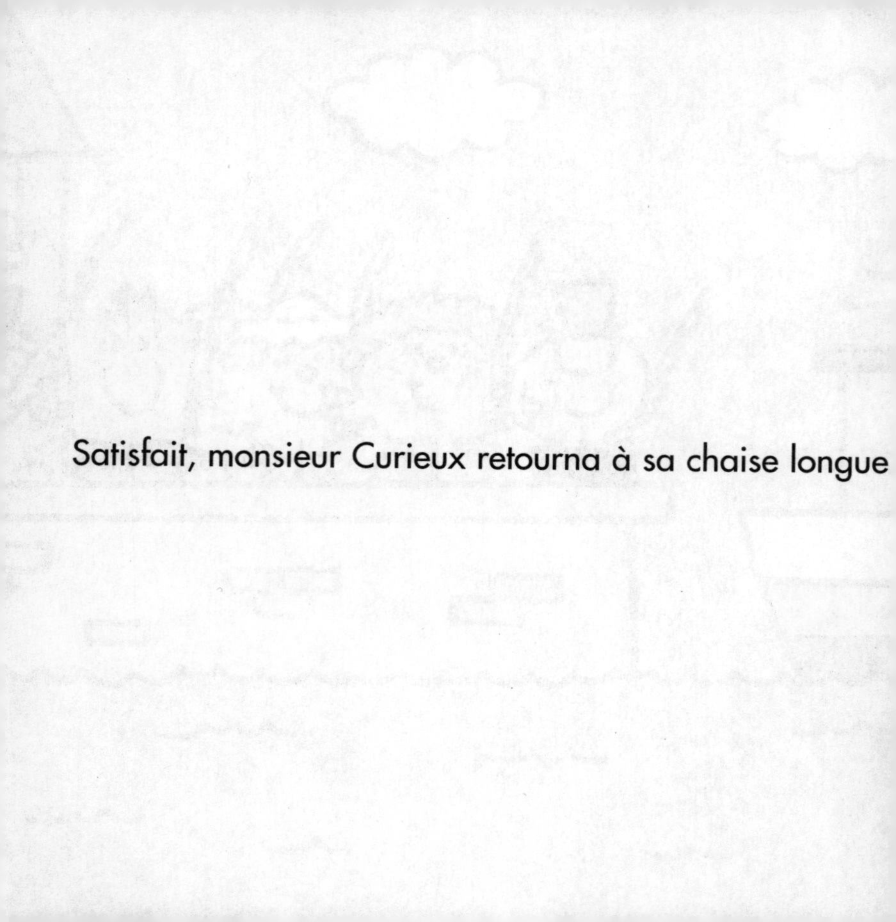

Satisfait, monsieur Curieux retourna à sa chaise longue

Pas pour longtemps !

En effet, monsieur Curieux fut bientôt curieux
de savoir si ses amis partaient pour longtemps,
s'ils allaient en pleine mer, quel genre de poissons
ils voulaient pêcher, où ils avaient acheté leurs cannes
à pêche, et bien d'autres choses encore.

En moins de temps qu'il ne faut pour le dire,
il fut de retour sur le port. Et hop !

Il sauta à bord du bateau, au moment où celui-ci quittait le port, et se mit à fouiner partout.

Au passage, il dévora quelques sandwiches dans le panier de pique-nique.

Quand il eut bien fureté, fouillé et farfouillé, il monta sur le pont et, sans se faire remarquer, il épia les pêcheurs occupés à surveiller leur canne à pêche.

Avaient-ils déjà pris du poisson ? Qui était le plus chanceux ? Le plus maladroit ?

Il fallait à monsieur Curieux une réponse à toutes ces questions.

Il alla de nouveau explorer le bateau, fourra son nez partout.

Y compris dans le garde-manger ; il avait encore une petite faim.

Et il revint sur le pont.

En regardant la mer, il aperçut un aileron, se pencha pour mieux voir et n'eut pas le temps de se demander à qui il appartenait…

Clac !

Un gros requin affamé engloutit monsieur Curieux tout entier.

Pauvre monsieur Curieux !

Personne ne savait qu'il était à bord, et donc personne ne s'aperçut de ce qui venait de lui arriver.

A la fin de la journée, de retour au port, tout le monde se réunit pour voir qui avait fait la meilleure prise.

Monsieur Malin dirigeait les opérations.

– Ce qui nous donne un total de… un total de… cent quatre-vingts kilos ! Bravo, monsieur Cos…

Monsieur Malin s'interrompit soudain.
Pourquoi, selon toi ?

Avoue qu'il y avait vraiment de quoi !

Monsieur Curieux, oui, c'était bien lui qui venait de tomber de la gueule du poisson !

Ses amis voulurent savoir comment cela s'était passé, s'il était resté longtemps dans le ventre du requin, bref, ils posèrent des questions, beaucoup de questions.

– Mais allez-vous arrêter de me questionner ! s'emporta monsieur Curieux. Je ne supporte pas les gens aussi curieux !

Monsieur Curieux n'a répondu à aucune question, et ses amis ne savent toujours pas comment il s'est retrouvé dans le ventre d'un requin. Toi seul le sais...

Alors, chut !

N'en parle pas aux petits curieux !

Garde bien le secret de monsieur Curieux.

Bonne nuit

M. COSTAUD M. TATILLON M. PEUREUX M. RÊVE M. ENDORMI M. INCROYABLE M. NON M. BAVARD M.

M. AVARE M. HEUREUX M. MALPOLI M. COURAGEUX M. RIGOLO M. BING M. ATCHOUM M. CHATOUILLE M. ÉTOURDI M.

M. ÉTONNANT M. LENT M. MAIGRE M. PETIT

LA COLLECTION « BONHOMME », c'est aussi 45 personnages

M. FARCEUR M. NIGAUD M. FARFELU M.

M. BAGARREUR M. INQUIET M. GLOUTON M. PARFAIT M. NEIGE M. SALE M. MÉLI-MÉLO M. CURIEUX M. A L

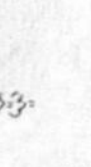
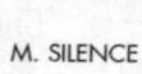
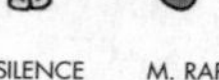

M. PRESSÉ M. SILENCE M. RAPIDE M. MALCHANCE M. MALIN M. BIZARRE M. MALADROIT M. GROGNON M. GRI

…e
…E

Madame
EN RETARD

Madame
TIMIDE

Madame
SAGE

Madame
COQUETTE

Madame
INDÉCISE

Madame
CATASTROPHE

Madame
DODUE

…ne
…AIRE

Madame
RANGE-TOUT

Madame
FOLLETTE

Madame
RISETTE

Madame
POURQUOI

Madame
VEDETTE

Madame
TÊTE-EN-L'AIR

Madame
OUI

…e
…UT

Madame
BONHEUR

Madame
TOUT-VA-BIEN

LA COLLECTION
« LES DAMES »,
c'est aussi
39 personnages

Madame
TINTAMARRE

Madame
TÊTUE

Madame
BEAUTÉ

…NTÉ

Madame
CHIPIE

Madame
CONTRAIRE

Madame
PROPRETTE

Madame
DOUBLE

Madame
CHANCE

Madame
BAVARDE

Madame
PETITE

Madame
MOI-JE

Madame
BOUTE-EN-TRAIN

Madame
CANAILLE

Madame
MAGIE

Madame
VITE-FAIT

Madame
BOULOT

Madame
CASSE-PIEDS

Madame
ACROBATE

Sauras-tu reconnaître
les personnages de ces devinettes ?
Relis bien les histoires si tu as un doute.
Dessine-les tous en t'aidant
des images du livre.

J'ai de belles chaussures orange et je crois faire plaisir à tous mes voisins en jouant de la musique. **Qui suis-je ?**

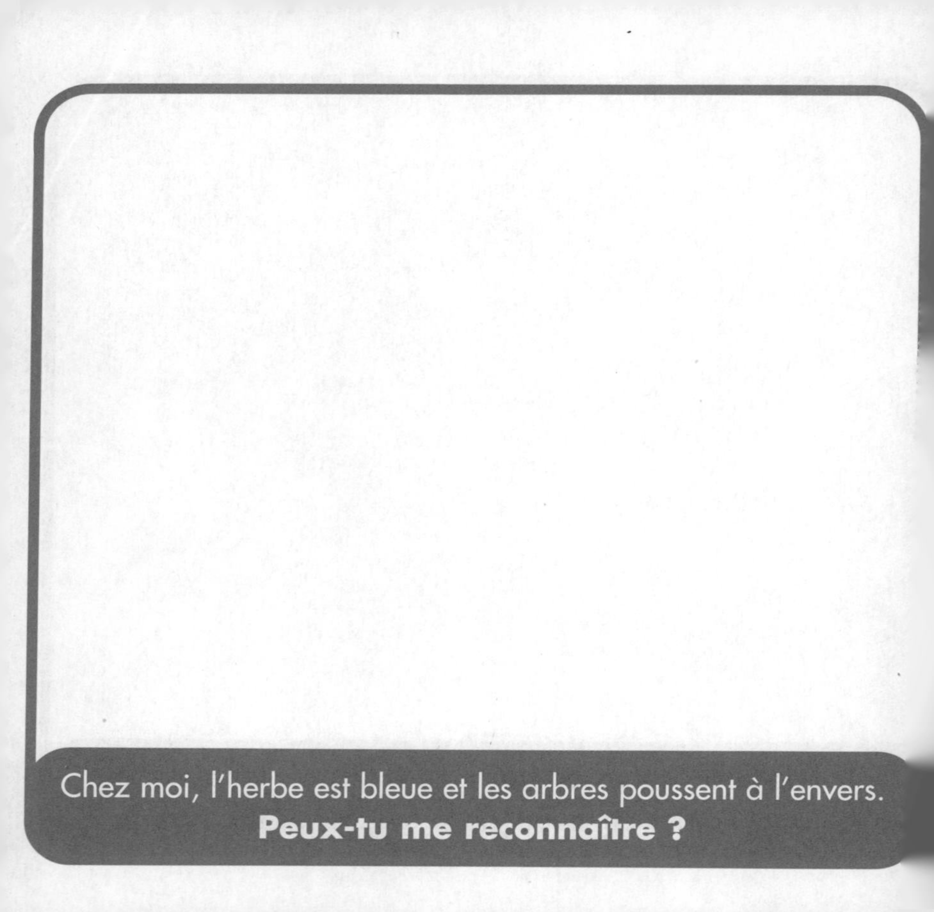

Chez moi, l'herbe est bleue et les arbres poussent à l'envers.

Peux-tu me reconnaître ?

Parfois, mes amis ne veulent pas jouer avec moi
car je gagne tout le temps ! **Dessine-moi !**

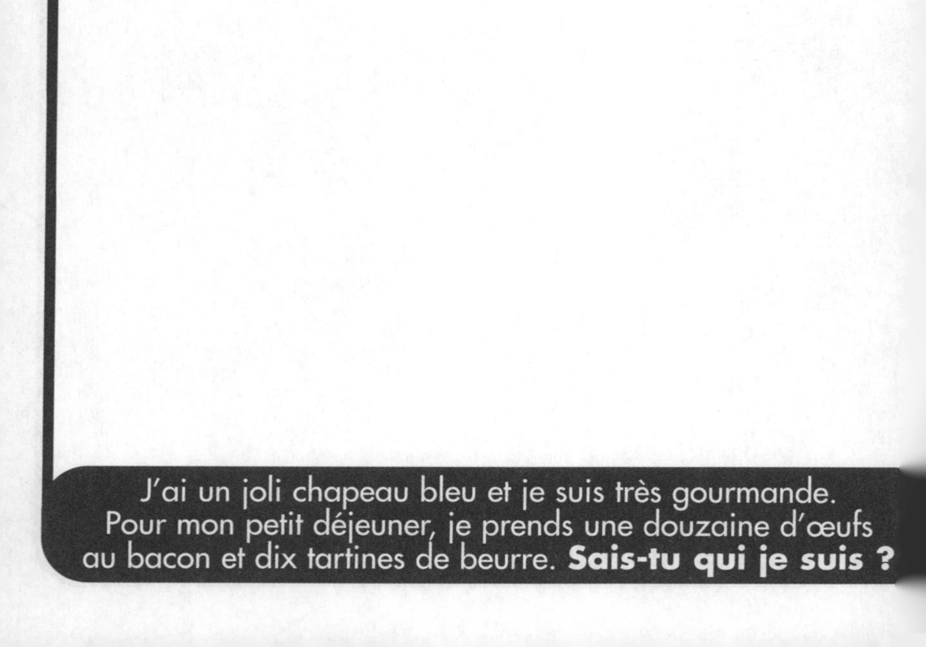

J'ai un joli chapeau bleu et je suis très gourmande.
Pour mon petit déjeuner, je prends une douzaine d'œufs
au bacon et dix tartines de beurre. **Sais-tu qui je suis ?**

J'ai toujours plein d'idées les unes plus étonnantes
que les autres ! Je surprends tous mes amis.
Dessine-moi dans mon étonnante voiture !